思考致富行动计划

欢迎你来到一个充满成就、财富与幸福的新世界！你即将采取行动——致富行动——去获得成功，去实现梦想的黄金目标！

首先，你要阅读《思考致富》，这是长久以来最畅销的书之一。你将明白为什么有三千多万人读过这本惊人且深具启发意义的书。你还会明白克莱门特·斯通（W. Clement Stone），美国联合保险公司总裁，为什么对《思考致富》有如此的看法："因阅读《思考致富》受到激励而获得成功的人有千千万万，这是任何一本当代作家的著作所无法比拟的。"

假如你已经读过《思考致富》，那你就会以全新的感受重读此书，发现以前未发现的财富！

此外，当你用心探讨拿破仑·希尔获得财富的直接方法时，你就是在将它变为你自己的方法。你知道，这本书——《思考致富》——对任何相信自己能力的人来说，是一个通向巨额财富的指南针。但你现在看的这份行动计划，则将会把这本书变成属于你个人的行动指南。方法中的每一个步骤，都能让拿破仑·希尔的伟大方法与你的希望、梦想、命运和远大抱负完美地结合起来。

阅读之前的注意事项

成功，基于追求成功的动机。

世上的任何文章都无法使你成功，除非你自己希望成功并思考成功。最重要的，就是需要思考。没有人能思考你的成功程度。没有人能替你思考！

你必须对所读的内容明确地质疑、思考和反应，必须作出推论并运用自己的判断力，必须发挥想像力和预见力，并且在读到他人获得财富时看到的却是自己。

是你，而不是别人，必须在阅读及思考当中构想蓝图、制定计划，必须寻求实现特定目标的方式，并且永远谨记没有不可能的事，可能性会随着成功的加强逐渐增强！

同时记住：别纯粹靠理智行动，你还拥有感觉、情感、习惯和其他力量，它们都能在你需要时，发挥强大作用。

正如拿破仑·希尔所说：财富始于一种心态。你做好追求财富的准备了吗？那就让我们开始吧。一种更富有、更幸福与更成功的生活正在你的面前展开。

首先，除了《思考致富》这本书之外，要随时带着一支笔，和一个小笔记本。

确定自己在每天的同一个时间有个安静的地方独自坐下来研读《思考致富》及《行动计划》。一天半小时、一周四五天就够了——但要在每天的同一个时间读。让家人知道，这是你为成功奠定坚实基础的时间——为了自己及他们的缘故。还有，别只是嘴上说说，还要做给他们看，以示你的决心。每一天和你生活在一起的人都须了解你对此事是认真的，你对追求成功绝非“玩笑之举”。

每天，在你开始致力于一项新的成功原则前，花几分钟时间复习并检查已经读过的重点，以确定自己完全消化、吸收了前面所学的内容。换言之，你不能只是期望朝着理想的目标前进，你还需要检查自己，确保所走的路是通向成就的正确道路。

正如克莱门特·斯通说过的，利用此法你能“让自己产生实现目标的炽烈欲望，帮助你获得财富及生命中的真正价值”。当这种情形发生在你身上时，你就能迅速而确切地看到自己的渴望及梦想即将转化成的现实。

行动第一步

要在脑子里形成一张地图，它让你能预见自己将往何处去，还能看到旅途中明确指示的“路标”。

翻到《思考致富》的目录，拿起笔，将所有的目录浏览一遍。在“当时”感动你的任何字或词句下面画线。这样不仅有助于在你脑海中画一张本书的“地图”，同时还让你独得无价的自我洞悉力。每个人受到吸引或挑战的字或词句各不相同。

完成这部分之后，快速浏览整本书一遍。读每章的大标题。假如你有将任何一章的标题再看一遍或画线的念头，但做无妨。我们多数人都被教导别在书里做记号——但这可不是本普通的书！它绝对是专属于你的，留作终生指南用的，而且你在本书里，在空白处做的记号越多，它所发挥的功效也就越大。

行动第二步

你对《思考致富》已经有所了解。现在停下来，思考。你感受到它的书名是如此贴切，你也知道《思考致富》始于一个伟大的意念——一个当你准备好时，随时会从书页间蹦出、呈现在你面前的秘诀。

你清楚地看到拿破仑·希尔提出了奔向财富的十三个步骤，而且每一个步骤皆与其他步骤有关联——正如人生的每一部分都和其他部分有关联一般。

然后你就能体会到《思考致富》和这个《行动计划》加起来的花费，可能只是它们在一年中所带给你的额外财富的千分之一或万分之一而已！

行动第三步

阅读《思考致富》。不过，这一遍阅读非常特别。

这份行动计划将逐章地指引你。它将给予你禁得起考验的指示——一再证明能获得结果的指示。

然后，根据行动计划中的指示一章章地读，并随时根据行动计划中的指示采取特定的行动。

从头到尾，在对你别具意义的任何字、句或段落下面画线（或再三细读）。

许多人会在书中加入额外的笔记纸，用胶带或钉书机固定在相应的书页上，添写自己的看法，自己与某一观点相关的故事，任何自认对自己有用的资料。

现在开始专心投入阅读。给自己充裕的时间。在阅读中思考，在思考中阅读。

读《思考致富》第一章“心想才能事成”

阅读第一章读时可一边画线、做注解，也可以加入几张额外的注释页。别“光听书本说”。你可以而且应该在书里面写下自己的想法，和对这部分内容的感受。

阅读当中，你会注意到自己之前画过线的一些标题。现在，第二次读到这些标题时，可能对于想强调的部分有所改变，想改就改吧！真正改变的是你的观点，你也可以可用支红笔做第二次画线。而现在，你同时也是在内容本身当中画线——任何触动你的字、词和段落。

现在你了解了本章的内容，它们和明确、积极的行动是密不可分的，而心中的意念则必先于行动。你看到了成功的意念在埃德温·巴恩斯身上发挥作用的情形，因此即使是身无分文和流浪汉的外表也都无法使他却步。还有，对一个小孩征服了大人获得5毛钱的小故事，你也再一次有所领悟和感叹。

读完本章后暂停一下。在脑海中回顾本章的主要内容，写下本章的要点和自己的感受。写的时候，不要考虑对错。以后再次阅读时，你会发现新的要点，会有新的感受。每一个新的发现和新的感受，都是你在通向成功道路上的进步。

现在，可以根据自己的情况，给自己提出一些问题，看一看“意念”在自己实际生活中所起的作用。可以用**何人、为何、如何**等作为关键词。比如：

我曾于何时何地克服过重大困难？是否因为我有实现目标的强烈愿望？结果如何？

我们多数人在生活中获得的胜利通常比自己所记得的多。原因在于这些胜利经常是分散的，而且没有可供我们记忆的长期效果。但是在回顾自己的生活时，各种成功的记忆开始被唤起。你才意识到自己曾多次将意念的力量施于自己本身、施于事业、施于重大事件、施于他人的心灵，而取得了成功

现在请特别注意拿破仑·希尔的重要观念：**当你开始思考以致富时，你将发现财富本身始于一种心态。**

准备再回到书中……

致富第一步：欲望（阅读第二章）

阅读本章，边读边划重点，同时在空白处或自己插进去的注释页中做笔记。

同样，阅读中你会注意到此前画过线的标题，而且你也可能会改变一些现在想强调的重点。

你读到了埃德温·巴恩斯不给自己退路，因此只好勇往直前；你读到了将欲望转换成黄金的六个步骤；同时你还读到许多人将欲望深藏于梦想中，而使那些梦想成真。你知道许多成功的人开始困顿，但

却没有停止前进的脚步。

你读到了一首十二行诗，它值得你一读再读，同时思考。你也读到了拿破仑·希尔之子的故事，他“原本听不到”，是欲望和毅力消除了障碍。

现在，不要回头看书，针对希尔博士著名的欲望变黄金的六个步骤来做个小测验。这个测验要求你写出六个步骤的主要内容。

欲望变黄金的六个步骤

1. ________________。
2. ________________。
3. ________________。
4. ________________。
5. ________________。
6. ________________。

请务必按照第六点所给的指示去做。第六点的指示会引领你实践生命中最重要的行动之一。

接下来，重温本章出现的这首诗。它会加深你对“欲望”作用的认识。

下一个步骤就是针对本章写出要点和自己的感受，要求与前一章一样。要简洁。看看你在寥寥数语中能囊括多少“精髓”。这是个好练习！

你会注意到有些重点和前一章的重点有重复之处，这样做是特意强化你的认知，帮助你更积极、更自信地在记忆、能力和埋没天分的迷惘中寻找自我。

然后用**何人、何物**等关键词提出自己的问题。针对那六个步骤至少提出两个问题。对于那首激励许多人走向成功的诗，至少要提出一个问题。

本章中要特别注意这个重要观念：**除非相信自己能获得财富且正在获得财富，否则无人能开始获得它。心态必须是一种强烈欲望，而不只是希望或愿望而已。**

当你认为自己已经掌握了本章的重要原则时，回到书上……

致富第二步：信心（阅读第二章）

手边准备一支笔，按自己的速度，专注地读到这一章结尾。读的过程中，划出重要的字或词句。将深有感触的段落用括弧标出来。

你读到了信心这个内在的主要化学家，它会将你的意念与强大的精神催化剂结合起来，而使它们倍强于原来的力量。信心只待你去发现它，它并不是少数幸运儿才能得到的礼物。你即将学到的对潜意识下达命令的方法，是培养信心的不二法门，也是利用信心将意念转变为实质对等物的方法。

要将财富意念转化为实质的财富——将拥有充实丰富人生的意念转化为真正体验人生的快乐——就要抛却任何运气想法。别相信“好”运——它只是付出努力、得到回报的证明。也别相信“噩”运——它是负面思想引来的贫穷和失败，这种结果往往是潜意识真想得到它的缘故。

在这一章里面你继而发现情感的磁力，以及它吸引类似或相关之意念的情形（对于做计划和形成行动大有助益）。你读到了建立自信心的五个步骤，而且我相信你也注意到了将你一生明确重要的目标写下来的重要性。

现在在笔记中写下建立自信心的五个步骤和自己的看法。将《思考致富》第三章中希尔博士所写的五个步骤看一遍。然后用自己的话写出每个重点，为自己而写；这个行动计划不需给任何人看——它完全是你自己的。

这一章里还有一首你该纳入行动计划中的诗。这首诗是“信心”的伟大力量的体现。反复朗读这首诗，要读出声来，直到它印在你的脑海里，使你在挑战面前可以不自觉地发挥它的影响力，让它在不知不觉之间帮助你。

同时你还在这一章里读到关于亚伯拉罕·林肯的重要故事，他曾是个“样样失败的人”，然而最后却成就斐然。没错，在这本谈论财富的书里，你读到了爱的力量——我希望你已经体会出二者的密切关系。最后还有查尔斯·施瓦布的故事，及一场餐后演说带来的深远影响，让你明白一个人的财富始于人内心。

现在回顾整个第三章，写下本章的重点和自己的整体感受。

利用**何人**、**何时**、**何地**、**何物**、**为何**及**如何**等关键词将本章的要点转变为问题。针对信心公式至少提出两个问题，而且是个人性的问题。对**何人**有自信、**为何**自信、**何时**、**何地**以及**如何**自信。

注意以下重要说法：**人对自我不断复述的东西，无论其真伪，都将为其所信且成事实。也请记住爱默生说过的：“人心之所思成就其人。”**

了解了致富的第二步之后，再回到书中……

致富第三步：自我暗示（阅读第四章）

通读本章。你知道将书变为你自己的同时，激起自己潜藏能力的方法有：

画线　　加括弧　　加入自己的注解

可以利用任何一个或全部都用！并且改变任何需要改变的重点。

你读到，潜意识如同一方沃土。然而除非你细心地植以更有价值的作物，否则仍会杂草丛生。你凭借自我暗示的力量种下意念的种子。

潜意识会接受任何以绝对信心下达给它的指令，并回应那些指令。但这些指令必须通过一再地重复而深植于心。

让你的潜意识相信你一定要拥有你所看到的财富，让它相信这笔财富正等着你认领。很快你就能摆脱所有的负面意念。有些人无法致富的原因在于他们从未能让潜意识相信财富是属于他们的。要看到自己正在致富，正在为这笔财富提供服务或卖出商品。

你读过了激励潜意识的三个步骤，它能帮助你给潜意识下达坚定不移的指令。你看到了它们和第二章提出的六个步骤相融合的情形。现在来做个小测验，但不要回头看激励潜意识的三个步骤；请勾选是或否。

• 你写的声明是否应该有“失误”的存在，也就是说，该不该写假如“一切顺利”或类似字眼，你才会得到意欲获得的那笔金钱?

( ) 是 ( ) 否

• 你的声明是否应该写上一个你获得金钱的明确日期?

( ) 是 ( ) 否

• 你会依赖中彩券来获得想要的金钱吗? ( ) 是 ( ) 否

• 你会通过提供服务或商品来获得那笔钱吗?

( ) 是 ( ) 否

• 假如你确信能背诵自己的声明了，还要重复书写吗?

( ) 是 ( ) 否

正确的答案顺序是：否——是——否——是——否。假如你答错了任何一题，就把这一章和第二章再读一遍。

现在自己把这简短但意义深远的一章的重点写下来。然后写下自己的感受。花时间思考。必要时花时间回头再读。

问**何物**、**何处**、**何时**、**何人**、**如何**等问题，特别回想一下你因踌躇而错失机会的那几次。尤为重要的，是回想你毫不犹豫地前进而获得突破的那些时刻。

仔细研读，体会并记住以下重点：**所有人绝对都能掌控如何给潜意识下达指令。**

当你彻底完成这一章后，回到书上。

致富第四步：专业知识（阅读第五章）

阅读时拿支笔，随时划出在你看来重要的部分。你现在应该很清楚这个过程了。

在这一章当中你学到一个许多人疏忽的重点：所有的知识都是潜在的力量，但普通知识需要经过归纳整理，再加上专业知识与明确的行动计划，才能产生力量。

你明白学校教育的一个来源。或许希尔博士在他想要放弃开始就读的函授课程时所得到的教训与你深有同感。你也体会到寻找理想工作可能经历的辛苦。

回答是或否：

- 一个只受过极少正规教育但肯自我学习的人，是否总比受过良好教育的人更会赚钱？ （ ）是（ ）否

假如你答是，就重读本章。本章的重点并不在于评判是受教育还是不受教育更好。重点在于你应该获得自己所需的知识，同时配合明

确的目标来运用它。

一个人在停止接受义务教育之后，可以继续进行有效的自我教育。一个会自律并接受明确的专业课程训练的人，多少能弥补免费得到但不珍惜的知识。你最终成功的原因可能就在于你以成人的心态在学习，而且所学又是你真正想学的。

把本章希尔博士列出的五种知识获得渠道再读一遍。问自己用过或正在利用哪些方式。这一章所提供的行动计划能使你在任何工作中的起步领先10年。

写下自己简短的要点和感受。

根据要点内容问自己一些重要的问题。现在你可以从极端个人的问题延伸开来。例如，别只问："我何时曾从经验所得的教育中获利？"可以问："我的朋友中有谁曾经从经验所得的教育中获利，如何获利？"你这时正从自己的生活经验延伸开来，并在他人的生活中寻找教训。

在心中牢记以下重要事实：**教育中的"失落环节"，往往在于教师未能有效教导学生如何组织并运用他们的知识。**

当你觉得准备好时，回到书上……

致富第五步：想像力（阅读第六章）

手拿支笔，将这章从头读到尾。

现在你知道，想像力分为综合型和创造型。两者各有巧妙，对你都有用。在理智范围内，人惟一的限制，就在于其想像力的发展与使用上。而且通过我们的想像力，通过想像力激发出来的意念行动，我们的行为得以和宇宙不变法则并行不悖。

可口可乐的故事——由一个用老茶壶搅拌出来的配方到一个全球性的大企业——让你明白了当构想加上欲望和身体力行的人时会产生何种结果。而要求——并获得——100万美元的学者牧师的故事则是强大想像力的进一步明证。你从这一章及《思考致富》的其他许多章节中了解到每个“良好突破”的背后总隐藏着点什么；也明白了每个人的心灵其实都能掌控那股相同的强大力量，那个无所不在的东西。

读完这章后，写下在你看来最重要的重点和你对整章的感受。

然后，根据重点来引发问题。只要能答得出来的话，尽量让你的问题包罗广泛，让它们能影射出这些重点的含意。

记住以下观点：**生命中所需的一切“突破”皆等候在你的想像力当中。**

当你全盘了解本章的意义——这是个充满精义的短章——且注意到它所传达的重要指示后，就可以开始下一章了。回到书中……

致富第六步：精心策划（阅读第七章）

这是很长的一章。它是经过刻意规划的，以便你对至今已讨论过的内容更加明了。我们将以稍微不同的方法来学习本章的重要课题。

同样拿支笔，边读边画线，一直读到本章中间的测验为止。第一次阅读时，你已浏览过这个测验；现在先不要看这个测验，跳过它继续读到章末。

这一章开头先解释智囊团的原则。当你读到致富第九步时，这个极为重要的原则会再一次被提出来讨论。这章同时向你断定：没有任何人可以不需他人合作，就拥有充分的经验、教育、才能和知识，就一定会获得丰厚的财富。

这句话完全不排除个人在找寻自己致富之途时必要的独立性，但也的确肯定这个世界乃为我们所共享。

失败，它究竟是何物？让它成为变得更坚强的方式。失败是再试一次的信号，而不是放弃的信号。

假如你认为失败就是结束的信号，你就没有善用经验。放弃的人决不会成功；成功的人决不放弃。

你在本章读到了“领导者的主要素质”。暂停在这一页，将每一个因素再仔细地读一遍。思考。然后就使人成为领导者的十一项重要因素一一为自己评分。评分等级由1到5。

例如，假设你在自制力项目上，给自己的分数是“1”，那就表示你实际上并没有什么自制力。若分数是“5”，则表示你的自制力几近完美。每一项都要仔细评分；记住，你现在是在建立一个非常私人的自我认识，及非常私人的自我成功指南。别忘了未来你也要不断地回头检查自己的笔记并一再为自己评分。

	1	2	3	4	5
不动摇的勇气					
自制力					
强烈的正义感					
果断的决策					
明确的计划					
不计报酬的工作习惯					
愉悦随和的个性					
同情与体谅					
掌握细节					
愿负全责					
合作					

你还读到描述十项“领导失败主因”的内容。现在再把每一个项目细读一遍，包括标题及希尔博士所做的解释。然后，就每一项情形停下来思考。问自己：这一点适用于我吗？想出答案后再看下一个项目。要冷静诚实地作答。

第114页开始的内容，“应聘职位的时机和方法”，可能不适合你。不过还是把它们看一遍，因为一个有领导才能的人往往也能帮助别人找到工作。同样的道理，也应该细心地读准备简历的指示。

接下来，获得理想职位的七个步骤也如法炮制。理想的工作是人生中的重要因素。每个工作者、每个雇主都应该特别注意第五项：关注自己能做什么。这个因素对许多人来说已成为成功的关键。

将这一点和接下来的“QQS”公式结合起来。注意紧接其后的内容：安德鲁·卡内基强调要和有和谐工作精神的人共事。在拥有数千名员工的众多成功者之中，福特也注意到和谐人际关系的价值。他曾说过，他重视善与人相处的能力胜过任何其他能力。查尔斯·施瓦布也因其领导才能而闻名。

再往下，你读到了希尔博士所列的31项失败主因。希尔博士说，在你阅读这些项目时用它们一点一点对照自己，以便找出有多少失败因素横阻在你与成功之间。照着做。在适用于自己的失败原因前画对号。然后再将适用于自己的失败原因分为两类：可以改变的和无能为力的。在自己无力克服的失败原因前画星号。

面对画星号的项目，自我挑战一下，说：“现在，我就是要想办法解决。”这时，你的态度就会由先前的听天由命转变为决心。像许多人一样，当你要将自我的一个特点前画星号时，你就是“下不了笔”。然后你会猛然将拳头往桌上一捶，说：“谁说我做不到！”如希尔博士指出的，几乎没有克服不了的障碍。生活充满了通往成功的道路，它们或绕过阻碍，或攀越阻碍，要不然就是冲破阻碍。

然后，我们看到一份包含28道非常个人的问题清单。有些可用简单的是或否来回答。第28题要花点时间做——但你花在正确回答那个问题上的每一分钟对你都可能有几千元的价值。

回答这28个问题时，将你的简答直接写在该页的空白处。若你的答案可能很长，就把它单独写在一张纸上，然后再黏贴或钉在书里。

要确定自己已经融会贯通这章的内容及其所列项目与问题。写下本章的要点与感想。

读完本章后，要牢记以下重要观念：**金钱无法移动、思考或说话，但当一个渴望它的人召唤它时，它却“听得到”**！

现在回到书上……

致富第七步：决心（阅读第八章）

既然现在致富的十三个步骤我们已读了一半，你一定也已知道用来找出《思考致富》中每一章的重点并铭记于心的方式了。

这个短章的核心在于独立宣言的故事。仔细读这个故事。它是个许多人所不知道、深刻且富含心理意义的真实故事。

特别注意，这个故事至少反应出六个你在《思考致富》中所学到的原则。

决心对你有何意义？你能在自己身上看到决心吗？能在他人身上看到吗？你能看到并记住你在观察他人及自己时所学到的教训吗？

在下表，将10个你所知道非常有决心或非常优柔寡断的人列出来。

填完名字后，回顾一下每个人是成功还是不成功。在他们特定的前后关系中加入叙述。例如，一个成功的家庭主妇就是个成功者，而一个每天经手的金钱可能多于家庭主妇一年所经手金钱的不成功者则仍然是个失败者。

	名字	有决心	优柔寡断	成功	不成功
1					
2					
3					
4					
5					
6					
7					
8					
9					
10					

你当然看得出决心和成功往往是一致的。你一定会发现这一点。事实就是如此！

写下本章要点和你的感受。

清楚地牢记以下重要观念：**每个强者的内心均有掌握自己的力量。**

准备好，回到书中……

致富第八步：毅力（阅读第九章）

你会明白毅力和决心是并行的。假如下决心者不能坚持到底，决心就会相对地减弱，甚至会认为自己错了。但即使是到那个时候，一向坚强的信念，以及依然明确稳定的决心，还是可以再度获得的。

读《思考致富》时，有好几次你要回头思考金钱意识的意义。要注意，贫穷会趋向于内心有利它发展的人；同样，金钱则会受到有心迎接它的人所吸引。还有：贫穷的发展无需有意识地应用有利于它的习惯。而且永远记住，控制你的是自己的潜意识，意识只是潜意识“老板”的执行者而已。不过，通过意识，你却能传达指令给潜意识，直到它们掌握信息并“回应”。

范妮·赫斯特和凯特·史密斯的故事正是毅力的好教训。你一定也注意到培养毅力的八个要素。把它们再读一遍，然后回到这页做以下测验，将遗漏的字填进去：

毅力的形成主要基于：

________的。	自________。
欲________。	________的计划。
________自我。	意________力。
合________。	习________。

本章的毅力清单应该也都是你已读过的东西。再详读一遍。假如有任何陌生或不熟悉之处，就回头将第一、二、六和七章再读一遍。要确定自己完全吸收了《思考致富》中的每一项原则。

现在至少写出五个你表现过金钱意识的例子，或者，假如你一个也想不出来，就写你认识的人表现出金钱意识的例子。做这项的同时要谨记“金钱意义深植于自信”的定义。

你知道，“金钱意识”这个名词很容易被误解。你并不是要吝啬，也不是追寻一个以金钱衡量一切事物、一切人生价值的看法。你是在寻找——而且我希望，正在发现——一种与自我的内在信心交谈的金钱意识。

仔细写出要点，认真地写，你可以考虑把自己金钱意识的例子作为重点来写。

记住：**微弱的欲望带来微弱的结果；任何人都能培养毅力。**

仔细而认真地完成这些后，回到书上……

致富第九步：智囊团的力量（阅读第十章）

这一章在于补充说明，并加强你了解“二人智慧胜一人”的奇妙方式。现在你看到了这个曾使多人获利的原则几乎无限的范围。

你看到像安德鲁·卡内基这样地位的人还拥有一个约50人的智囊团。你自己也可以借助六个甚至仅仅三四个朋友在自己的生命中创造改变的奇迹。

行动计划经过设计，包含了利用智囊团原则的进一步细节。以下便是你的蓝图：

1. 从你相当了解的两三个人开始。确定他们与你之间及他们相互之间能和谐相处。所有的人都同意此智囊团的目的在于心灵与精神上相互促进。

2. 排除政治、宗教和其他任何“敏感”的问题。你们的目标在于利用基于累积经验而来的知识去彼此帮助。你们个人所拥有的经验自然是他人所没有的。千万别引发任何可能削弱整个团体真诚合作精神的问题。
3. 在全体人员的一致同意下，可偶尔邀请其他人加入该团体。但别让团体过度扩充乃至不易控制。同时，要给新成员短时间的资格试验期，以确定他们能和其他人和谐相处。
4. 虽然基于个人独有的经验和个性，智囊团中的每个人都可能有不同的方式，但你们对于人生成就的一般原则还是保持意见一致。而既然《思考致富》中的原则对许多人都弥足珍贵，当然可以毫无保留地接纳。
5. 让每个人有当主席的机会，时时轮替主席权。主席的职责就是掌握发言的时间限制，让话较多的成员等候发言。他同时也应该鼓励个人说出心中真正的想法。
6. 有些成功的智囊团是在受雇于同一事业的员工之间成立的。在这种情况下，应该包含管理层的成员在内，这种规划有助于全面的合作与利益。
7. 每个智囊团应该有一个眼前目的以外的目标。它应该着眼于为团体外的人带来特定的利益。例如，你们可以经营一个问题诊疗中心，或赞助某个青年社团或类似机构。

智囊团不仅可以提醒你，同时不断地向你证明，利用自己以外的智慧是多么值得的事——当然，相对地，你也要“出借”你的智慧给他人。

在这一章里，我们再度回到那个非常重要的观念：贫穷不需计划。以你的心灵之眼看到那股力量的强大“洪流”。体会一个受到你真实信心支持的计划，一个蕴含金钱意识的信心，如何能将你带到那条不断前进向上，通往成就、欢乐与丰厚财富的隐形河流的一侧。

写下要点和感受。希望你持续不懈地将这类内容仔细写在笔记中。

提出自己的问题时，以希尔博士的话为准绳：要贫穷很容易；贫穷不需计划。

注意一下证实了这个论点的人。你将了解一个内心的贫穷意愿经常会在一个人将自己稍微提升时控制住他，因此在一阵所谓的努力忙乱后他又让自己沉寂下来。然后他就能转向每个认识的人说：“看到没有？没有用的。”

记住：**你可以活用他人的智慧。**

当你确实完成这重要的一章后，继续下一章……

致富第十步：性欲转换的奥秘（阅读第十一章）

阅读这一章。

你同意这一章的大前提吗？

你注意过成功者的性魅力吗？此刻，你想成为一个散发出性魅力的公众成功者吗？

你看到了性激情在我们生活中有三个目的。最明显的一个就是人类的繁衍。但也还有其他两个重要目的。现在不要回头看书，把它们写出来，然后核对。

1. ____
2. ____

性激情若经过适当控制并导向其他用途，就能激发强烈的想像力、勇气、毅力和创造力。所有伴随着性行动的强大力量现在都可用于创造大量的文学、艺术、商业、政治和任何专业或工作上。巨富者及成就斐然者都一定有女性的影响力在驱动他们。

性表达居任何心理刺激物之首。以下是这些刺激物的干扰清单。将你认为不是刺激物的删掉；完成后，将你的答案拿来和《思考致富》中的清单核对。

心灵刺激物——有益及有害的

表达性的欲望	性挫折
追求目标的强烈欲望	凡事不在乎
友谊	孤独没有朋友
没有精神或身体上的痛苦	共同的苦难
勇气	恐惧
戒酒	毒品和酒精

自我暗示	无意探求潜意识
利用智囊团	从不征求意见
音乐	不欣赏音乐
爱	憎恨

注意有些心理刺激物最终可能有害，并且特别注意看看有多少良好且持久的心理刺激物可利用。

受到刺激的心会被提升得高于一般思想水平。和创造型想像力——第六感——一起运作时，这股天才的来源就可以为任何人所利用，而这无限蕴藏的能量之后则存在着性欲转换的奥秘。

性欲转换是否意味着禁欲？绝不是。它只表示要将性欲导至正途而非滥用。思考一下何以许多人都是在40岁之后才达到成就的巅峰。经验有很大的关系，但同时，且大多数人不知道的是，控制肉欲扩展了心智和想像力，进而使创造功能获得强大的力量。要承认，且感到高兴的是，男人最强的激发力是取悦女人的欲望！

灵感从何而来？阅读并思索灵感的四个来源。书写本章的要点时，自问在自己的灵感中可有任何模式可寻。你容易在睡前获得灵感吗？还是在醒时？或刮胡子时？准确找出这一点可能极有价值。你得到灵感的时刻可能就是你最“适合”作重要决定的时刻。

还有，自问当自己遵循灵感而行时有何结果。试着从自己的经验中去了解，遵循一个真正的灵感和遵循意愿的指令——某种理想结果的心理图像——两者间有何不同。

完成这个深度的问题后，写下本章的要点。

重要观念是：**天才的来源也可为你所用。**

精通本章后，继续下一章……

致富第十一步：潜意识（阅读第十二章）

你在本章开端读到——而且我希望你也划了线——一个重要的句子：任何你渴望转化为实质或金钱对等物的计划、意念或目的，都可以自动植入潜意识中。

这句话不在于提出一个新观念，其目的在于提醒你这个重大的宇宙真理，现在要特别加重强调它。

潜意识的作用不分昼夜，假如你无法在其中植入欲望，它就会因你的疏忽而接受负面的意志。

凡事皆始于意念冲动。潜意识特别容易受到与情感相结合的意念冲动所影响。你的情感可能就在这七个积极情感当中（填入遗漏的字）。

欲________	________
热________	希________
信________	________
浪________	

或者你可能因为潜意识，接受了以下七大消极情感培养的意念冲

动，而成了自我的牺牲品（填入遗漏的字）。

恐________	怨________
贪________	愤________
忌________	报________
迷________	

积极情感和消极情感不会并存于心。让积极情感主宰自己的意志，你的潜意识也将感受到影响，进而在你所做的任何事情上产生回应。

再重复一次本章的重要观念：**可将任何欲望用来化成实质或金钱对等物的计划、意念或意向，自动植入潜意识中。**

不要忘了写下要点和感受。

每一章都要读到完全融会贯通为止。真的掌握这一章后，继续往下读……

致富第十二步：大脑（阅读第十三章）

认真通读本章。

这一章让你了解头脑发挥的强大力量，脑内有100—140亿个神经细胞，几乎能形成无限种电路组合。你的大脑所具有的思考、记忆、调节和自我改进的潜能远大于电脑，电脑毕竟只能记忆和处理输入的指令而已。别忘了：大脑能在其记忆库的资料里加入创造型想像力，让你飞入思想与成就的未知领域，这是专属于人的特权，这一点是电脑根本做不到的。

潜意识是大脑的“发射站”。它将意念的震波传送到想像力的“接收装置”。从美国杜克大学的实验来看，精神感应和预见功能极有可能是存在的。它提供了一种自然的方式，通过它，每个人的大脑就可以相互沟通。

这时你就可以将这一想法和重要观念与《思考致富》的重大主旨结合起来。当然你已注意到了，虽然你可能只是一直在心中以自己的话来表达而已。以下就是整本书的主要观念和精髓：**凡是人心所能想像并且相信的，终将能够实现。**

这样你所有的成就、幸福、健康和人生就不纯粹是工作、玩乐和睡觉的问题而已了。它永远是意志的问题，而意志则涵盖了远超过平凡、有意识思考的领域。

处理这章的要点时，别将它们形式化了。

准备好后，继续看致富第十三步……

致富第十三步：第六感（阅读第十四章）

阅读这精彩的一章。边读边划重点。

注意，希尔博士的“想像内阁”纯粹是创造型想像力的产物。的确，就如他所说的，内阁中的想像阁员带领他进入辉煌的奇遇路径，重燃他对真正伟大的赞赏尊重，激励出创造性的工作及大胆表达诚实思想的勇气。

问题是缺乏想像力的人易于误解这样的经验。然而，任何真正读过并思考过《思考致富》的人将会了解延伸创造型想像力与甚至逝世已久的心灵结交的情形。

这种交情虽不是实际的，但一样深具影响力。逝世的心灵以他们流传下来的思想（话语），及他们伟大的人格意念就有助于推动我们的进步，更不用说对我们永具影响力的成就了。

你想采访你的伟大心灵，组成自己的想像内阁吗？这可不是人人做得到的。首先它需要你认为自己有能力改进内在自我。一个能够并且真的召集自己想像内阁的人会让自己领先同龄人好几大步。选择你自己的内阁成员。他们可能是政治家，也可能是经济、工业、发明或艺术领域的佼佼者。仔细选择！你持久的自我探索，你对目标和深层欲望的新看法，将有助你选出对自己最有帮助的“内阁成员”。

对于第六感，我们无法像其他五种感觉（视觉、味觉、触觉、嗅觉和听觉）那样准确界定出来。借助练习和信心，第六感可以成为开启智慧殿堂之门的金钥匙。

写自己的要点时，专注在指引的原则上。找出你人生中感受到无形指引的时候：如一个预感、第六感等。你之前已做过，你的潜意识同时也一直努力在做这个工作。因此现在，当你再次寻找这一类例子时，就会有更多的例子蜂拥而至。

当你看到了自己第六感的强大实力时，你就已完成阅读及注解致富的13个步骤了。最后一章将提出有关恐惧及如何消除恐惧的重要问题。在最后一章中你也将接受几项小测验以准备这个计划末尾的测验部分。准备好了吗？

六种恐惧（阅读最后一章）

阅读并划重点。

你审视了自己一番，了解到恐惧只不过是一种心理状态，而它当然服从于你的指示与控制。上天赋予人类绝对控制力的只有一项：意念。每个人都可以练习这项控制力，借助练习与信心的支撑，它的影响力是相当大的。

六种基本的恐惧为何？把它们写在这里：

1. ____________________
2. ____________________
3. ____________________
4. ____________________
5. ____________________
6. ____________________

现在对照231页看你记得正确与否。

分析自己的恐惧时，你可能发现自己有恐惧贫穷的情绪，一种极具破坏性的恐惧心理。我们倾向于在经济上互相“吞食”，因此恐惧自然产生。恐惧贫穷的明确症状是什么？将遗漏的字填进去：

凡事______　　焦______

犹______　　过度______

怀______　　拖______

对照书本235页开始的症状。你此前已读过这些症状的简短讨论。现在再读一次。

你害怕批评吗？这种恐惧能剥夺一个人的原动力，毁掉其想像力，以千百种方式来伤害他。任何家长若通过不必要的批评，而使孩子产生自卑感，这确实是罪恶。你可能苦于孩提时代的影响，但你可以克服它们的。写下表现出恐惧批评的七个症状。在填进遗漏字的同时，正视这些恐惧。

自______意______　　奢______

不镇______　　缺乏______

没有______　　缺______抱______

自______

对照240-241页上这些蚕食心灵的恐惧。

接着立刻（再次读完解释后）测验自己记得多少恐惧病痛的症状：

负面的______　　______力差

______症　　　　自______

疏于______　　　　放______

核对243-245页上的答案。至此你看到某些症状重叠的情形；例如像忧虑这样的症状就可能将它罪恶的头探进人生的数个不同层面。

恐惧失去爱情的三大症状是什么？对照245-246页。

忘______　　挑______　　赌______

接下来恐惧年老的三个症状是什么？对照247页。

早______

不思______

故作______

继续：哪些症状表示恐惧死亡？简答在下面的空白处，然后对照248页。

忧虑是一种恐惧——一种基于恐惧而来的心理状态。一旦作出了一项决定，忧虑也就消失。你还可以获得一个普遍而全面性的结论，即生活必须提供给你的东西，没有一样值得你付出忧虑的代价。

另一个大的障碍是对消极影响的易感性。你应该仔细分析自己是否极具易感性。后半部分的测验资料将协助你自我剖析。如希尔博士说的："无疑，人类最普遍的弱点是，敞开心灵接受他人消极影响的习惯。"

现在坐下来看254页开始的问题。以非常特别的方式来处理这些非常重要的问题。第一次将答案写在一张纸上，注意写清题号。三天后，在另一张纸上将这些问题再答一次。然后比较两次得到的答案，或许会有一些差异。问自己原因何在？问自己是何种情绪或心态以不同的程度影响了你的答案。

假如你已真实地回答了所有问题，你就比大多数人了解自己。仔细研究这些问题，每周再回顾一次，如此坚持数月，你就会惊讶地发现：只要真实回答这些问题，就能大量获得对自己极珍贵的额外认识。假如你对当中一些问题的答案不太确定，请教一下对你很了解，尤其是对你没有奉承动机的人，通过他们的眼睛来看自己。这种经验将很令人感到意外。

测验部分

为自己的致富力量评分。以下这部分里的测验和程序要在你充分准备好后才能进行。这表示要：

1. 预览《思考致富》，如行动计划所解释过的方式，然后

2. 阅读、注释要不然就是“进行”《思考致富》，如行动计划所解释过的方式。

当你审慎认真地完成以上步骤后，表示你已准备好进行下面的部分了。

按照要求，依序看这些问题及其他资料。有些时候你会发现资料是依据《思考致富》而来，或者是和书里的资料密切相关。这是刻意安排的，并且遵循了禁得起考验的学习模式。将每个问题都当成是初次见到的问题一样去回答。遵循所有的指示。按指示为自己评分。

• 测验一

将《思考致富》的每一页看过一遍。将每个你划了线的副标题写在单独的资料卡上。

将这些卡片放在桌上。认真分析，寻找在你的选择中可能显露出来的模式。有人发现了适于立即行动的模式，适于内省思考的模式等。别受他人的指引或影响。寻找你的模式。假如一小时后，你还找不到明显可辨的模式，就将卡片收起来，三天后再试。

假如还是找不到明显的模式，那么就从你在本文里所划的诸多重点中去找。你总能找到一种模式。

找出模式后，仔细写到你的笔记中。将卡片留待未来参考用。

• 测验二

表一列了恐惧的十种普遍原因。别停下来考虑自己可能因为具有这当中的任何恐惧而“受责”，只问它们是否适用于你。每题依所示的1到3种程度，为自己评分。如果你真的认为自己的情形刚好介于两个等级之间的话，就给自己一个非整数的评分——如1.5或2.5。将自己的评分填在最下面一栏。做完后，将总分加于该栏底下。

• 测验三

表二列出内疚的十大原因。就算你具有某种内疚，也别因而停下来考虑自己应受的“谴责”，只问自己是否有此情形。依据指示按1至3级程度为自己评分，或者给自己1.5或2.5分，假如你认为这样最准确的话。将你的评分填在最下面一栏。做完后，再将总分填在该栏最后面。

• 测验四

表三列了敌意的十种普遍原因。尽可能客观地反省自己。每项依

程度为自己评1至3分，或者假如你觉得自己的情况介于两者之间，就评分为1.5或2.5。将评分填在最下面一栏。最后将总分填在该栏底下。

• 测验五

表四列了会影响自信心的十个普遍因素，每一项都要仔细诚实地为自己评分。需要的话，也可以给自己中间的分数。将每一项的评分填在下栏，然后将总分填在该栏底下。（这时你一定注意到了这些测验的“重复性”，着重于各项人格因素的独立性。）

• 测验六

表五所列的是使人无法真正成熟的十项负面因素。按上述方式为自己评分，必要时可用中间分数，如1.5或2.5。将评分填在下栏，再将总分填在该栏底下。

表一

恐惧的根源	恐惧程度			评分
	1	2	3	
1. 童年对父母的恐惧	过去我通常害怕父母。	我以前有时很怕父母亲。	我不记得曾怕过父母。	
2. 自觉无能	面对问题时，我深感无力。	面对问题时，我有时会觉得能力不足。	我几乎总是觉得有能力处理自己的问题。	
3. 对工作的恐惧	我害怕失去工作（或其他收入）。	我偶尔会担心工作的稳定性。	我对自己的谋生能力有绝对信心。	
4. 他人的看法	我总是担心别人的看法。	他人的看法有时候会烦扰我。	我从不因他人对我的看法烦心。	
5. 生活中的挑战人物	挑战者总令我害怕或不安。	我对这种人避而远之。	我无惧于任何人。	
6. 无害的动物，如狗	我就是会怕猫狗。	猫狗会令我有点不安。	小动物从不令我害怕。	
7. 对爱没有安全感	我一直害怕失去所爱。	有时我会想到失去爱情。	我对自己的爱情关系很有信心。	
8. 健康	我总觉得会患重疾。	偶尔我会觉得健康出现警讯。	我不担忧自己的健康。	
9. 决定	作任何决定总让我苦恼万分。	有些必须作的决定令我烦恼。	我总是能当机立断。	
10. 责任	可能的话我绝不担负责任。	非我莫属的责任我才负。	我欣然担负责任，甚至主动寻求责任。	

表二

内疚的根源	恐惧程度			评分
	1	2	3	
1. 意图中伤他人	我一直在破坏他人的名誉。	我过去曾中伤他人，但现在不会。	我从不毁谤或用话伤害别人。	
2. 不守信	我似乎总免不了会食言。	那是过去了，现在我说话算话。	我一向都信守承诺。	
3. 偷窃	那又怎样？它让我得到迫切需要的“运气”。	我过去的偷窃行为可鄙可恶，现在我已不再偷窃。	我从不偷窃——即使是偷别人的时间。	
4. 对性总觉得“不对劲”	向来如此，将来也会如此；性和罪恶不可分。	我有时觉得性是错误的，但非一直都如此。	我认为性是健康、自然且愉悦的。	
5. 你的生活毫无计划	从没有任何事情是按计划而行的。	有些目标我如愿以偿。	我总是能着眼于明确目标，并实现它。	
6. 自觉令别人失望	很显然，我令所有的人都相当失望。	我知道自己偶尔令人失望。	我总是不负众望。	
7. 疏忽了家人	很惭愧，但我自知忽略了心爱的人。	我偶尔忽略了对家人的责任。	我对家的尽责与关爱是全家人一直都肯定的。	
8. 工作机会	好机会？我眼睁睁看它们溜掉。	我至少试着找些好工作！	我一直在寻求更高、更好的工作。	
9. 言行欺瞒	我就是忍不住——只能这么说。	我可能有时候会说谎或欺骗。	无论如何，我就是不说谎或欺骗。	
10. 不把握教育机会	我拒绝承认知识是值得追求的。	我对于追求知识曾稍作努力。	我有一套获得书本知识与其他知识的完整办法。	

表三

敌意的根源	恐惧程度			评分
	1	2	3	
1. 羡慕他人	我就是讨厌他人拥有我所没有的。	有些人令我羡慕。	我不曾羡慕任何人。	
2. 忌妒	当我喜欢某人时，就会对他极具忌妒心。	我正学着摆脱忌妒的小器量。	为何要忌妒？我从没这种感觉。	
3. 心怀憎恨	我对人对事一直都心怀憎恨。	我偶尔会憎恨。	我极少憎恨。	
4. 火爆脾气	小心！随时会怒吼。	我有时会脾气失控。	要激怒我很不容易。	
5. 偏执	你要完全接受我的做法，否则我们就形同陌路。	有些不同意我的人可能是对的。	不同的意见和形貌令生活多彩多姿。	
6. 不信任	每个人都在“算计”我，我对谁都不信任。	有些人不足以信任。	我不会毫无根据地怀疑别人了。	
7. 背后毁谤	我喜欢在他人背后放箭。	我有时会散播闲话或谣言。	这种行为我不屑为之。	
8. 言词态度犀利	不管他人多不愿听，我还是喜欢直言不讳。	我偶尔会有过激言词脱口而出的情形。	我总是和言悦色。	
9. 缺乏耐心	我是出名的没耐心，但我不在乎。	我的确时而失去耐性。	人们可以肯定我的耐心。	
10. 嘲讽态度	我经常用讽刺态度“使自己占上风”。	有时我会心怀刻薄、出言讽刺。	极少，且只在强调的情况下，我才讽刺。	

表四

自信的根源	恐惧程度			评分
	1	2	3	
1. 一份好收入	我总是赚不到足够的钱。	我的情形相当不错，虽然应该可以更好。	我有好收入，且能愉快享用。	
2. 朋友众多	对人过目即忘，反正我也不需要他们。	我有一些朋友。	朋友多得数不清。	
3. 外表仪态	尽管说我丑吧，我有自知之明。	我乃中庸之辈。	人家说我仪表出众。	
4. 一般智力	我似乎并不“具备”——遥不可及。	我认为自己智力普通。	我的智商很高。	
5. 人缘	我相信大家都对我避而远之。	还算差强人意。	人们乐于与我相处。	
6. 勇气	我胆小如鼠。	必要时，我会面对人或情况。	多无所畏惧。	
7. 公开演说	绝不行。	我不喜欢，但特殊场合我会发言。	我喜欢发言且喜欢公开演说。	
8. 身体状况	我健康不良，百病缠身。	我有时候会生病。	我觉得身体强壮且很少生病。	
9. 生活态度	得过且过，态度消极。	有时候很乐观，有时则很悲观。	多数时候，觉得生活充满阳光。	
10. 遇事沉着	紧急状况令我崩溃。	我承受不了重大压力。	几乎任何情况我都能沉着以对。	

表五

不成熟的根源	恐惧程度			评分
	1	2	3	
1. 虚荣好面子	我总是虚张声势。	有时我会以假面具来掩饰自己。	我表里一致。	
2. 自私	当然我总是为自己着想。	的确，我知道自己有时候很自私。	我是有自己的兴趣，但不至于自私。	
3. 受害情结	我知道许多人想“整”我。	我不时会碰到想伤害我的人。	我没有敌人也没有理由树敌。	
4. 缺乏自制	任何小事都会令我紧张发抖。	我偶尔会失去自制力。	我一向都是自我的主宰。	
5. 拖拉	我就是一个十足的拖拉	有些该做的事情我会拖拉不前。	我完成工作，且迅速完成。	
6. 贬抑	我喜欢“贬低”别人。	虽然我不贬人，但也不称赞人。	我从不贬人，且喜欢鼓励赞美他人。	
7. 吹嘘	听我自吹自擂！	如果我做了值得吹嘘的事，我就要吹。	我让行动来证明一切。	
8. 残酷	我很喜欢说令人不快的话。	假如是他自找的，我会让他如愿。	我几乎从不对人说残忍的话。	
9. 器量狭窄	固执？我知道自己的看法是对的，到此为止。	在某些事情上，我不愿有任何争论。	我可能“自有想法”，但假如理由充分，我愿改变自己的观点。	
10. 为自己找借口	书中所列托辞是我的写照。	有托辞可用时我会利用。	我会使用的托辞必是正当的，但我极少使用。	

分数的意义

你刚完成了各含10个题目的5项测验。分数如何？每项测验的最高分是30分，最高总分则是150分。

虽然总分别具意义，但更重要的是注意并思考你在每个测验中所得的分数。然后将此分数与你在《思考致富》书中其他类似测验里所得的评分（有时是非正式的）相对比。别用及格或不及格来评定自己。最重要的是了解自己。

意义图表

在致富第六步中，你针对自己的领导素质做过一项简短的测验，在每种不同的素质上依程度为自己评1至5分。在表上画线连接你所做的评分，这样就能画出一个线形图。

每隔一个月回头看一遍这六个图，持续半年。重新回顾自己的每一种情形。无疑你将改变某些评分。每次再画新的线形图。每一页上你应该都画有六个图。同时注明每个图所画的日期。许多人对此过程都深深着迷，同时觉得它对于建立致富的自我能力大有裨益，因而将这些测验复印下来，在半年期满后仍继续画这些图。

	1	2	3	4	5
不动摇的勇气					
自制力					
强烈的正义感					
果断的决策					
明确的计划					
不计报酬的工作习惯					
愉悦随和的个性					
同情与体谅					
掌握细节					
愿负全责					
合作					

如何将图形往右移？

你当然注意到了每个图形中积极、有利、健康和致富的表示都在右侧。月复一月，当你重画线形图时，从右移的线条中你就能看到自己的进步。

在此同时，你要如何做以确保线条右移？线条石移表示你逐步在掌控为你带来财富的自我。

以下是从数百个项目中挑选的内容，刻意不突显任何人格特点、身体层面或能力。它旨在让你随着每个项目思考：这适用于我吗？为什么？

自我分析过的项目，先打半个勾，向下划一笔即可，如丶。稍后，在你确实完成指示的行动过程后，再打完整的勾，如√。如此，在回头参考这些项目时（每次回顾自己的进步图时，都应这样做），你就会注意到任何不完整的勾号。

现在审慎认真地逐一浏览下列项目，打半个勾即可：

移动线条计划

- 我要分析自己的恐惧。
- 我要列出得自他人的协助，他能处理困扰我的情况，我要向他学习。
- 我要请教明智的顾问。
- 我要停止忧虑，开始行动。
- 我要接受事情出错的可能性并作周全的计划。
- 我要坚持让自己有耐心。
- 我要停止一切闲话、中伤及毁谤。
- 我要与跟自己意见不同的人做朋友。
- 我要克制自己的脾气。
- 我要摆脱心怀憎恨的情况。
- 我不再羡慕他人所拥有的东西。
- 我要克服妒意。
- 我要停止恨并试着以爱，或至少谅解来取代恨。

- 我要练习宽恕。
- 我要花时间进行充分的体育活动以保健康。
- 我要定期体检。
- 我不再夸大任何身体的不适，并谨记许多人曾克服过这些及更严重的不适。
- 我要阅读自己工作领域的资料，同时为乐趣而读。
- 我要继续学习专业课程以填补我通往成功及幸福之路的教育空缺。
- 我同时也要学习任何自己可能需要的一般性课程，如公开演讲的课程。
- 我要多注意自己的服装仪容。
- 我要参加社团及其他活动团体。
- 我要确定自己在这些活动中发言。
- 我要发展自己的想像力，并进一步使用它，让它成为通往其他心灵的沟通力量。
- 我要在应完成的期限内将工作完成。
- 我要认真做好工作。
- 我不吹嘘，因而也就找不到要为自己的吹嘘感到惭愧的理由。
- 我要协助而非为难他人，避免在言语、行为或态度上的残酷。
- 我不夸口，无论心里有多想。
- 我不以自己的意见而斥责他人。

- 我要尊重自己。
- 我要有坚定的目标及实现该目标的明确计划。
- 我要排除对性的罪恶感。
- 我要排除所有不当的罪恶感。
- 我要不断地认为自己值得拥有生命中最好的东西。

最后一项指示，复习

你已根据本行动计划所给的指示读完《思考致富》。你已谨慎地遵循了所有的指示。

你已做完所有的测验。现在——复习！

惟有通过复习，伟大的成功教训才能深入自我，进而成为个性的一部分。

有些人会忽视复习，不再重新回顾他们的问题，不再通过测验来增进他们的记忆。这种人也就失去了让制造奇迹的过程发挥完全功效的机会。

有些人愿意复习，结果他们花在复习上的每一个小时所得的回报，就相当于数千美元以及其他各种生活价值。

你是自我命运的主宰，你的动机必将使你前进

没有人能替你思考，没有人能替你行动，没有人能替你成功——

惟有你自己能。对这一点应该感到高兴!

记住这句真理:**只有想不到,没有做不到。**

因阅读《思考致富》受到激励而获得成功的人有千千万万,这是任何一本当代作家的著作所无法比拟的。

现在,思考致富所需的每项秘诀就实实在在地掌握在你的手中了。